LE MONDE FABULEUX de Monsieur Fred

Aux rencontres qui changent parfois une vie. L. C.

À ma grande amie Ève Léveillée, pour tout... G. G.

Catalogage avant publication de Bibliothèque et Archives nationales du Québec et Bibliothèque et Archives Canada

Chartrand, Lili

Le monde fabuleux de Monsieur Fred
Pour enfants de 3 ans et plus.

ISBN 978-2-89686-113-2

I. Grimard, Gabrielle, 1975- . II. Titre.

PS8555.H43M66 2012 jC843'.6 C2011-942388-X
PS9555.H43M66 2012

Chargée de projet : Françoise Robert
Directrice artistique : Marie-Josée Legault
Réviseure linguistique : Valérie Quintal
Graphiste : Dominique Simard
Dépôt légal : 4e trimestre 2012
Bibliothèque et Archives nationales du Québec
Bibliothèque et Archives Canada

Dominique et compagnie
300, rue Arran, Saint-Lambert (Québec)
Canada J4R 1K5
Téléphone : 514 875-0327
Télécopieur : 450 672-5448
Courriel : dominiqueetcie@editionsheritage.com

www.dominiqueetcompagnie.com

Imprimé en Chine

Nous reconnaissons l'aide financière du gouvernement du Canada par l'entremise du Fonds du livre du Canada et par le Conseil des Arts du Canada.

Nous reconnaissons l'aide financière du gouvernement du Québec par l'entremise du Programme de crédit d'impôt – SODEC – Programme d'aide à l'édition de livres.

LE MONDE FABULEUX de Monsieur Fred

Texte : Lili Chartrand
Illustrations : Gabrielle Grimard

Je m'appelle Pierrot.
Un nom prédestiné, car j'étais toujours dans la lune
quand j'étais petit. J'aimais tant rêvasser
qu'on me prenait parfois pour un fou !
Je n'avais que des amis imaginaires.
Jusqu'au jour où Monsieur Fred
est entré dans ma vie…

C’était un mardi, après l’école. Sans raison,
j’ai décidé de traverser le parc pour rentrer à la maison.
Soudain, j’ai été attiré par un monsieur assis sur un banc.
Tête penchée, il tournait les pages d’un livre.
Un livre *invisible*.

Piqué par la curiosité, je me suis assis à ses côtés.
– Votre livre semble très intéressant ! De quoi s'agit-il ?
– C'est un recueil de contes, déclara-t-il
en me fixant de ses petits yeux vifs. Si tu veux, je t'en lis un.
J'ai aussitôt opiné de la tête. J'adorais les histoires !
Il m'a demandé mon nom, et moi, je lui ai demandé le sien.
– Je m'appelle Monsieur Fred.

Monsieur Fred lisait,
en tournant des pages invisibles.
C'était magique ! Son beau conte terminé,
j'ai remarqué ses traits tirés.
Je l'ai remercié et je me suis levé. Il m'a dit :
– Si tu veux, on se revoit demain après-midi.
J'étais ravi.

Le lendemain,
sur le même banc,
Monsieur Fred
feuilletait son livre invisible.
Nous nous sommes souri,
puis je me suis assis près de lui.
Les yeux brillants, Monsieur Fred
m'a alors proposé
un conte qui s'intitulait
L'arbre au cœur brisé.
Son histoire terminée,
je me suis écrié :
– J'adore ce conte, il est génial !
Monsieur Fred a eu l'air si content
qu'il a semblé rajeunir de dix ans !
Nous nous sommes quittés
en nous serrant la main.
J'avais déjà hâte
à notre prochain rendez-vous.

Le jour suivant, à mon arrivée au parc,
j'ai prié Monsieur Fred de me relire
l'histoire de l'arbre. Elle m'avait tellement plu
que j'en avais rêvé toute la nuit !
Il m'a fixé longuement,
puis des larmes lui ont monté aux yeux.
– Tu me rappelles tellement mon fils ! déclara-t-il.
C'était son conte préféré. Il débute à la page 46,
murmura-t-il avant de commencer sa lecture.

Quel conte fascinant !
Emporté par mon enthousiasme,
j'ai alors demandé à Monsieur Fred
de me lire une autre histoire.

Après un moment de silence,
Monsieur Fred a déclaré :
- Je vais plutôt te raconter l'histoire de ma vie.
J'ai retenu mon souffle.
- J'étais un garçon rempli de rêves, commença Monsieur Fred.
Au fil des années, plusieurs d'entre eux se sont réalisés.
Je peux dire que j'ai été comblé. Mais, il y a trois ans,
j'ai failli mourir dans l'incendie de ma maison.
J'y ai perdu ma femme, mon fils et mes deux chats.
J'ai cru devenir fou. Longtemps, j'ai vécu dans la rue.

J'étais sans voix. Monsieur Fred a continué :
– Parfois, c'est dans la noirceur que jaillit la lumière.
Ma bonne étoile s'appelle Madame Petitpois.
Elle m'a tendu la main il y a un an.
J'habite son grenier depuis ce temps.
Je balaie son entrée, sors ses poubelles, tonds son gazon
et fais ses courses. En retour, je suis logé et nourri.

Je l'ai observé. Il était beaucoup moins vieux
qu'il n'en avait l'air. Cependant,
il semblait aussi fragile que du verre.

– Te rencontrer m'a fait un bien immense,
m'avoua Monsieur Fred.

J'ai rougi. C'était la première fois
qu'on me disait des mots aussi gentils.
– Toi seul t'es présenté à moi sans me traiter de fou,
ajouta-t-il. Comme mon fils, tu crois à l'impossible.
Je lui lisais aussi ce livre… L'idée m'est venue
de répéter ce jeu, car je me sentais très seul,
murmura-t-il. Quelle bonne idée j'ai eue,
hein, mon ami Pierrot ?

Mon cœur a bondi de joie.
J'avais enfin un vrai ami, et quel ami !
J'étais si heureux que je lui ai sauté au cou !
Monsieur Fred a étouffé un cri de douleur.
Je me suis aussitôt excusé. Il a eu un petit rire,
puis m'a serré doucement contre lui.

Le lendemain, après l'école, je me suis dirigé, tête basse, vers le parc. J'étais si excité par cette nouvelle amitié que, pendant la récréation, j'avais raconté ma rencontre avec Monsieur Fred et son livre invisible.

Tous les enfants avaient ri de moi, scandant « Pierrot le fou ! Pierrot le fou ! »

Sauf la nouvelle, Lila, qui m'avait regardé sans rien dire.

Comble de malheur, Monsieur Fred n'était pas là.
J'ai demandé à un commerçant s'il connaissait Madame Petitpois.
– Bien sûr ! Elle habite la petite maison bleue là-bas, dit-il
en me l'indiquant du doigt.

Deux minutes plus tard, je me suis retrouvé
devant une vieille dame voûtée qui balayait son entrée.
Je me suis présenté, puis je me suis informé
de Monsieur Fred.

– J'espère qu'il n'est pas malade ?

– Mon pauvre petit ! Monsieur Fred était souffrant
depuis quelque temps déjà. Il nous a quittés ce matin.

Mon cœur s'est serré. J'étais incapable de parler.
J'avais perdu mon seul vrai ami.

– Il a laissé ce colis pour toi, renifla Madame Petitpois.

Mon colis sous le bras, j'ai couru au parc. Assis sur notre banc, j'étais triste et heureux en même temps. J'ai décacheté l'enveloppe. Elle contenait un manuscrit. Sur la couverture, un petit mot avait été écrit d'une main tremblante.

Cher Pierrot, je te lègue mon trésor.
Avec toute mon amitié. Monsieur Fred.

Je l'ai feuilleté. Mais… c'était des contes ! Aussitôt, j'ai cherché la page 46 : il s'agissait bien du conte de *L'arbre au cœur brisé* ! Monsieur Fred avait donc écrit toutes les histoires qu'il avait inventées pour son fils… Il les connaissait par cœur ! Et moi, Pierrot le fou, j'héritais de ce précieux trésor.

Sans plus attendre, j'ai commencé à lire *L'arbre au cœur brisé*, qui me rappelait tant notre amitié. Concentré, j'ai sursauté quand une petite voix m'a demandé :

– Qu'est-ce que tu lis ?

C'était Lila, la nouvelle de ma classe.
Son beau sourire m'a réconforté.
Je l'ai invitée à s'asseoir près de moi, puis je lui ai raconté les derniers événements.
Ses beaux yeux verts se sont remplis de larmes.
J'ai alors décidé de partager mon trésor avec elle.
J'ai lu à haute voix tous les contes.
Lila était sous le charme. Moi aussi.
Ce jour-là, nous sommes devenus amis.

Vingt années ont passé. Je suis marié avec Lila,
et nous avons un petit garçon. Il s'appelle Freddie.
Nous habitons la maison de Madame Petitpois.
Le grenier est mon coin préféré pour lire à mon fils
le recueil de contes de Monsieur Fred, que j'ai publié.
Son trésor est maintenant partagé par des milliers d'enfants.

Du haut de son nuage blanc,
Monsieur Fred est drôlement content !

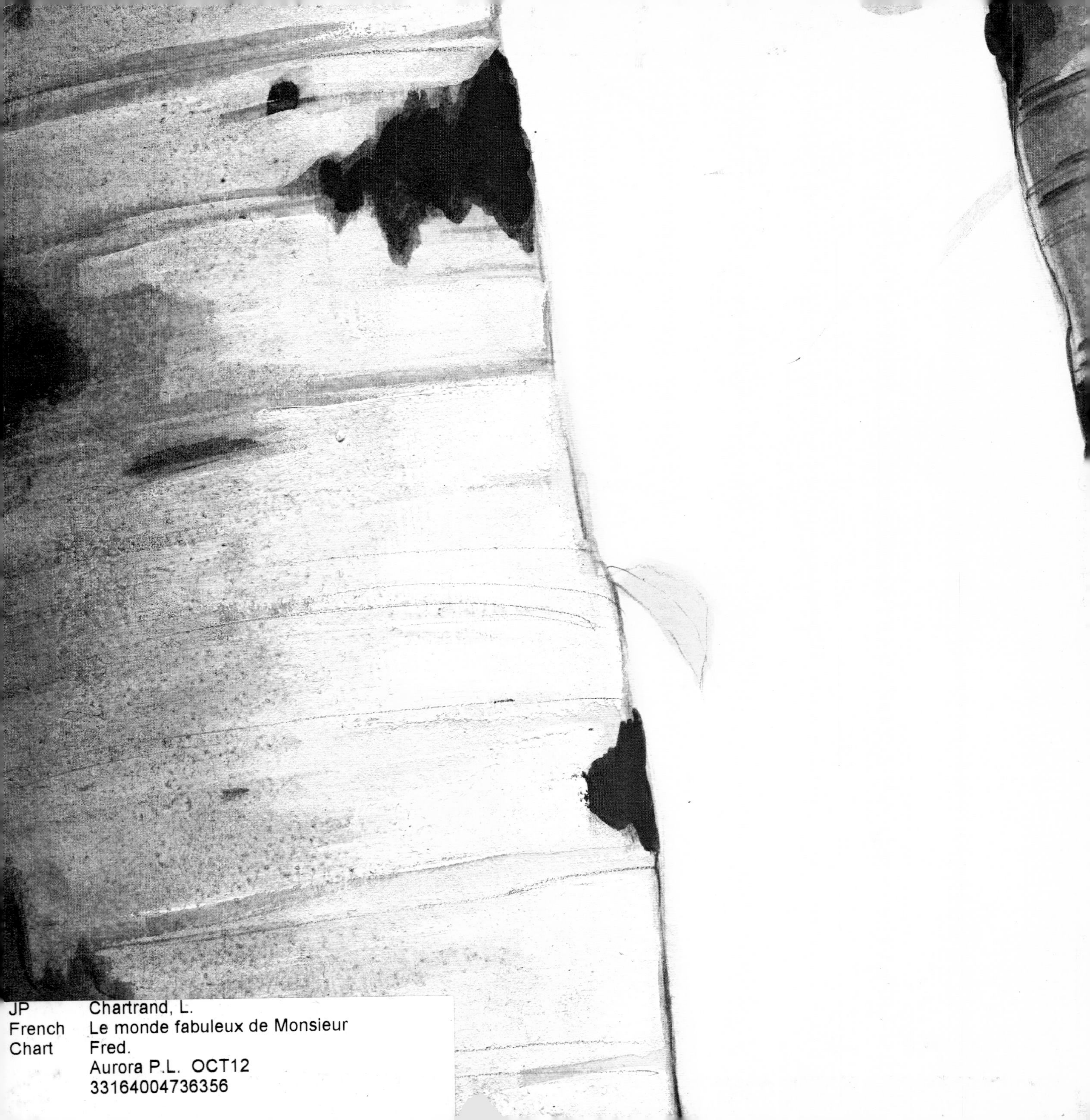